음악으로 본
시카고&뉴올리언스의 순간들

판타스틱 뮤직 보야지

Fantastic Music Voyage

음악으로 본
시카고&뉴올리언스의 순간들

판타스틱 뮤직 보야지

Fantastic Music Voyage

글 · 그림
KATH

마인드빌딩

추천의 글

"KATH의 그림을 만든, 그것을 빚어낸 구체적 동력은 '아직 들을 음악이 산더미'라는 자아가 웅변하듯 음악에 대한 무한 열정이다. 음악도 당장의 것이 아니라 나이와 유전자가 의심스러울 정도로 저 옛날의 음악과 그 시절의 레전드들에 쏠려 있다. 이러한 음악의 과거 시제에 대한 집착은 역사로 치닫고 그 결과 '산뜻한' 그림에 교양적 깊이를 묻힌다. 보는 즐거움과 읽는 재미는 이 책의 원투펀치다. 우리는 시카고와 뉴올리언스에 대한 빠른 이해라는 유쾌한 카운터펀치를 맞는다. Shining Book!!"

임진모 (음악평론가)

시카고와 뉴올리언스에 대해서라면 나도 할 말이 좀 있다. 때는 2019년. 귀한 기회가 생겨 꽤 긴 일정으로 미국을 향해 떠났다. 블루스와 재즈의 고향이라 할 뉴올리언스와 시카고의 음악 명소를 둘러보는 여행이었다. 두 도시에서 블루스와 재즈의 뿌리에 대해 '공부 같은 여행'을 하고 난 뒤 한국으로 돌아와 강좌 하나를 했다. 이 책은 바로 그 강좌에 참여했던 KATH 작가의 시카고, 뉴올리언스 여행기다. 이를테면 내가 작가의 여행에 산파 역할을 해준 셈이다.

추측하건대 KATH 작가는 호기심형 인간에 가까울 것이다. 궁금한 건 못 참는 성격이라고 할까. 호기심형 인간의 가장 큰 장점, 낯선 대상이 주는 두려움을 호기심으로 전환하는 데 능숙하다는 거다. 요컨대 의문이 생기면 의문을 질문으로 꺼내는데 필요한 용기가 디폴트로 탑재되어 있는 타입이다. 어쩐지. 처음 봤을 때 눈이 유독 초롱초롱 밝게 느껴졌는데 다 이유가 있었다.

내가 진행하는 라디오 '배순탁의 B side'에는 "공부하면 더 재미있어"라는 코너가 있다. 매주 주제를 선정해 청취자에게 조금 더 깊게 설명해주는 시간이다. 한데 그렇지 않나. 음악 듣는 게 행복하다면 그 음악의 근원을 탐사하는 데서 우리는 더 큰 재미를 느낄 수 있다. 비단 음악만은 아니다. 영화, 미술, 사진 등, 모든 대중문화는 공부하면 더 재미있게 즐길 수 있다. 그런 의미에서, 이 책은 KATH가 음악을 진정 즐길 줄 아는 사람이라는 사실을 증명한다. 우리는 이 책을 통해 작가가 경험한 여행의 순간을 즐겁게 간접 체험할 수 있다.

나는 내 인생이 별것 없음을 아주 잘 알고 있다. 누군가에게 영향을 줄 만한 인물 역시 못 된다. 그럼에도, 드물게 KATH 작가 같은 친구가 나타나곤 한다. 내가 읽은 글, 진행했던 강좌, 방송에서 했던 얘기 등이 불씨가 되어 무언가 해보기 시작했다는 독후감을 가끔씩 받는다. 그때마다 나는 생각한다. 더 정확하고, 더 섬세하게 전달해야겠다는 다짐을 불태운다. 따라서 감사를 전해야 할 주체는 작가가 아니라 도리어 내가 된다. 책을 써준 KATH 작가에게 이 자리를 빌려 고맙다는 말을 전한다. 재미있고, 유익하기까지 한 이 책이 보다 많은 독자에게 가닿기를 진심으로 기원한다.

배순탁 (음악평론가, 배철수의 음악캠프 작가, 배순탁의 B side 진행자)

♪ 프롤로그

여행을 떠나기로 했습니다.

여행, 특히 음악과 함께하는 여행을 좋아합니다.

2018년, 학교에서 교환학생으로 선발된 저는 그토록 떠나고 싶었던 유럽으로 음악 여행을 다녀왔습니다. 영국 런던, 비틀스(The Beatles)의 앨범 커버로도 쓰인 애비 로드에 가서 신호등이 파란불일 때 자동차들을 피해 비틀스 멤버들처럼 걸어보기도 하고요, 데이비드 보위(David Bowie)의 추모 벽화에 가서 꽃 한 송이 놓고 벽에 새겨진 수많은 낙서들을 바라보기도 했죠. 체코 프라하의 존 레논(John Lennon) 벽 앞에서 버스킹 음악을 들으며 관광객들과 함께 평화를 노래했어요. 또, 스위스 몽트뢰의 광활한 자연 속 퀸(Queen)의 프레디 머큐리 동상 앞에서 마트에서 사 온 빈약한 샌드위치를 먹으며 〈Made in Heaven〉 앨범을 들었습니다.

무일푼 여행이었지만 수많은 추억과 이야깃거리를 후회 없이 한아름 안고 돌아왔습니다. 한국으로 돌아와 일상으로 복귀하니, 몸으로 직접 부딪히며 음악을 마주했던 시간이 그리워졌습니다. 그래서 아르바이트로 모았던 돈을 탈탈 털어 무작정 블루스와 재즈의 본토인 미국행 비행기 티켓을 구매했고 다시 뚜벅이 여행길에 올랐습니다.

하지만 2020년부터, 전 세계가 팬데믹에 점령당했고 우리는 일상을 잃었습니다. 여행은커녕 집 밖으로 한 걸음 내딛기도 두려운 요즈음, 저는 오래전 찍어 둔 사진과 영상으로 간신히 여행에 대한 향수병을 달랬습니다. 그리고 그림으로 옮기기 시작했습니다.

2019년, 음악에 대한 열망 하나로 무작정 시카고와 뉴올리언스로 떠났을 때를 기억하며 이 책을 썼습니다. 저만의 여행 꿀팁, 맛집, 꼭 가봐야 할 장소도 놓치지 않고 기록했습니다. 블루스와 재즈는 현재 대중음악의 뿌리가 된 장르이지만, 명성에 비해 조명받지 못한 부분이 많다고 생각합니다. 이 책을 통해 많은 분들이 재즈와 블루스의 매력을 느끼고 또 즐기게 되기를 바랍니다.

그럼 함께 음악 여행을 떠나볼까요?

/선곡표/

9 PRESERVATION HALL

10 I BELIEVE IN MUSIC

Donny Hathaway (1971)

I

♪ LISTEN TO THE MUSIC

The Doobie Brothers (1972)

THE DOOBIE BROTHERS
MINUTE BY MINUTE

LISTEN TO THE MUSIC

The Doobie Brothers (1972)

"SOME ARE HAPPY, SOME ARE SAD WHOA, GOTTA LET THE MUSIC PLAY."

"어떤 이들은 행복하고, 어떤 이들은 눈물짓지만 우리는 음악을 들어요"

두비 브라더스(The Doobie Brothers)는
1970년대에 큰 성공을 거둔 미국의 록밴드이다.

마약을 뜻하는 'Doobie'라는 이름과 달리,
밝고 신나는 사운드로 사람들에게 즐거움을 선사했다.

밴드의 초기 멤버 톰 존스턴(Tom Johnston)은
세계 평화를 위해 이 노래를 만들었다고 고백했다.

한국에는 재즈 록의 상징인 스틸리 댄(Steely Dan)에서
건반과 백 보컬로 참여했던
블루 아이드 소울(Blue Eyed Soul)의 명인
마이클 맥도널드(Michael McDonald)가 제작했던 팀으로 알려져 있다.

음악은 불안한 마음엔 평화를, 고뇌하는 이에겐 위로를 선사한다.
그래서 난 오늘도 음악을 듣는다.

+추천곡 : Rockin' Down the Highway, Jesus Is Just Alright With Me, Long Train Runnin'

♪ 음악을 사랑하는 이유

자취 버킷 리스트 중
하나였던 스피커

아침에 눈을 뜨면 제일 먼저 스피커를 켠다.
스피커를 틀어두고 거의 종일 음악을 듣는다.

웰컴~투더 호텔~캘리포니아~

'올드 팝'을 좋아하시는 아빠와
'최신 빌보드 차트'를 섭렵하시는 엄마의 영향일 수도?

입시 때문에 아침 일찍 학원에 가야 했던 고등학교 3학년 시절,

걸~
거어얼~

아빠는 늘 출근길에 나를
학원까지 데려다주셨다.

아빠의 낡은 휴대폰을 연결한 차에서는 올드팝이 흘러나오곤 했다.
다양한 가수의 노래를 들었지만,
비틀스(The Beatles)의 'Girl'이 가장 기억에 남는다.

스으으으으읍~

'Girl'에 담긴 선율이 좋기도 했지만
중간에 나오는 '스으읍~!' 하는 부분이
유난히 신선하게 느껴졌다.

그때는 그게 그렇게 재미있었다.

내가 음악을 좋아하게 된 결정적 이유는
아마도 매일 챙겨 듣는 라디오 <배철수의 음악캠프> 때문일 것이다.

6:00
앗
6시다!!

온종일 앉아서 그림 그리는 게 일상인 나는
6시가 되면 자연스럽게 주파수를 배철수 아저씨의 목소리에 맞췄다.

I can't get no satisfaction~!
no no

특별한 계기가 있었던 것도 아닌데, <배철수의 음악캠프>는

갓 태어난 아기가 엄마와 아빠를 알아보듯
자연스럽게 내 일상에 흡수됐다.

교환학생을 마치고 외주에 치이다

휴식 없이 바로 4학년 1학기가 시작되었다.

아침 10시부터 저녁 6시까지 진행되는 하드코어한 전공 수업이 끝나고

오늘 수업은
여기까지~

<배철수의 음악캠프>를 듣기 위해
이어폰을 꽂았는데

뉴올리언스와
시카고!
.....
Jazz
&
Blues!

배순탁 작가님이 재즈와 블루스 관련 여행 토크쇼를
마련했다고 하시는 거 아닌가!

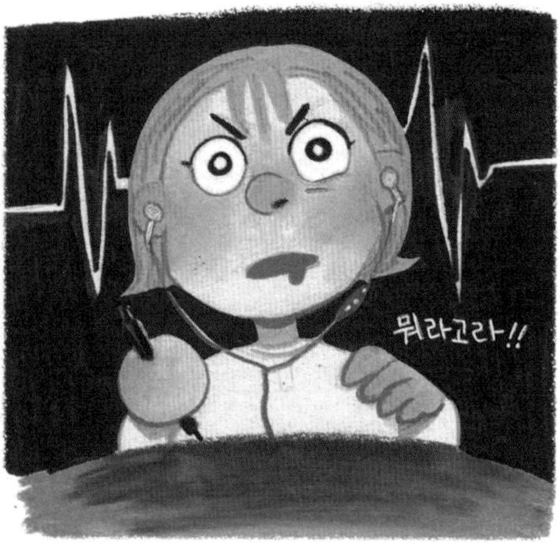
뭐라고라!!

하고 싶은 건 반드시 해야 직성이 풀리는 나는
그 얘기를 듣자마자 바로 신청했다.

현대카드 TRAVEL LIBRARY

장소는 청담의
'현대카드 트래블 라이브러리'.

여행 책들로 꽉 찬
아지트 느낌의 공간이었다.

꽤 많은 사람이 왔고

거리 어디를 다니던
음악이 흘러나옵니다!
맨 앞에 앉음

작가님은 재치 있는 입담으로
자신이 다녀온 음악 여행 이야기를 해주셨다.

굉장히 즐겁고 유익한 강연이었다.

압구정로데오
나도 가고 싶은걸?

정신을 차렸을 때 이미 나는 배낭 하나 메고

O'HARE
ㅎ….

시카고 오헤어(Chicago O'hare) 국제공항에 도착해 있었다….

2

♪ GIRLS JUST WANNA HAVE FUN

Cyndi Lauper (1983)

CYNDI LAUPER

GIRLS JUST WANNA HAVE FUN

Cyndi Lauper (1983)

"MY MOTHER SAYS
WHEN YOU GONNA LIVE YOUR LIFE RIGHT.
OH MOTHER DEAR, WE'RE NOT THE FORTUNATE ONES.
AND GIRLS THEY WANT TO HAVE FUN!"

"엄마는 너 언제 정신 차릴래? 하고 말하지만,
엄마. 우리는 행운아가 아니에요.
우린 재밌게 놀고 싶을 뿐이죠!"

신디 로퍼(Cyndi Lauper)는 미국의 싱어송라이터이자
LGBT 운동가로도 잘 알려져 있다.
40년 이상 음악 활동해온 그는 첫 데뷔 앨범에서만 무려 4개의 곡이
빌보드 탑 5에 랭크됐을 정도로 80년대를 대표하는 아티스트 중 한 명이다.

이 노래는 1979년 로버트 하자드(Robert Hazard)라는 남성이 만든 것으로,
철저하게 남자의 관점에서 쓰인 노래였다.
그러나 '남자들과 동등한 경험을 원한다'라는 메시지를 전달하고자 했던
신디 로퍼가 1983년 첫 앨범 <She's So Unusual>에 실으면서
그 의미가 다르게 해석되기 시작했다.

발랄한 신시사이저에 몸을 맡기며 짐을 꾸리자,
혼자 가는 여행에 대한 두려움이 사그라드는 느낌이 들었다.
내 마음을 대변해주는 뮤지션들의 음악을 어찌 사랑하지 않을 수 있을까.

+추천곡 : Time After Time, All Through the Night, She Bop

♪ 백문이 불여일견

나는 하고 싶은 게 생기면 준비를 완벽히 마친 뒤에
부모님께 일방적으로 통보하는 편이다.
시카고&뉴올리언스 음악 여행을 떠날 때도 마찬가지였다.

저는 한국을 뜹니다.
ㅇㅋ

엄마는
"네가 번 돈이니 네가 알아서 하렴.
여행이란 젊을 때 더 다니는 거지."

아빠는
"빨리 졸업해서 돈 모을 생각 안 허고~"
라고 하셨다.

물론 학교생활도 중요했지만
교환학생 시절 경험한 음악 여행이 그리웠다.

영화 개봉 당시 런던 소호 거리.
노래 'Bohemian Rhapsody'
가사가 실린 예쁜 전광판들이
거리를 수놓았다.

2018년에는
영화 <보헤미안 랩소디>(Bohemian Rhapsody, 2018)
개봉일에 맞춰 런던으로 여행을 떠났다.

런던 Abbey Road Studio 앞
감사합니다.
혼자 온 나를 위해
사진을 찍어주던
현지 가이드 아저씨
사람 없다!
자, 찍습니다!

남녀노소 할 것 없이 퀸을 사랑하는 현지 사람들의 모습이 정말 인상 깊었고,
락 투어를 하면서 사람들과 나누었던 이야기들이 잊혀지지 않았다.

자, 그려볼까?
스-윽

음악은 국적, 관념, 종교, 인종이 모두 다른 사람들을 하나로 묶어준다.
'음악으로 하나가 된다'는 말을 런던 여행 중에 실감할 수 있었다.

이전까지는 음악을 단순히 듣고 즐기는 정도였다면,
앞으로는 그림을 통해 나만의 음악 이야기를 만들고 싶어졌다.

여행 갈 때 뭐 챙겨?

미국의 강한 햇빛을 대비하기 위해
큰맘먹고 산 선글라스
H&M
너바나의
커트 코베인
티셔츠
엄마 거 뺏어(?) 신은
운동화
티셔츠와 바지 각각 두 벌
옷걸이 두 개
(빨래, 수건 걸 때 짱!)
양말, 속옷 두 벌
미니
드라이기
110V
어댑터
(USB 꽂힘)
안경
일회용 샴푸, 클렌저
일회용 렌즈
비상약 + 위염약
(위장이 약함…)
물티슈
여러 개
수건 한 장
귀마개
카메라
샤워볼
충전기
잠옷 한 벌
가방은 친구들이
생일 선물로 준 수납력 짱인 백팩

선글라스
휴대폰
여권
동전 지갑
물
블루투스 이어폰

떠나기 전
CHECK LIST
제일 중요한 숙소 위치!

치안

무조건 치안 좋은 구역을
위주로 검색한다.

Hard Rock
CAFE

장소 찜하기

가고 싶은 장소를
구글맵에 저장한다.
(펍, 관광명소, 식당 등등)

숙소 고르기

치안 좋은 구역과
가고 싶은 장소의
교집합을 찾아낸다.

호스텔에서 종종
귀중품이 사라지는 사건이
발생한다는 말을 들은 뒤
자물쇠는 꼭 챙긴다.

나는 기관지가 약한 편이어서 환기를 자주 해야 하기 때문에
창문의 유무를 굉장히 중요하게 생각한다.
미리 확인하지 않으면 창문 없는 방에서 지내게 될 수도 있으니
창문 체크 필수!

조식

조식을 제공하는지 확인한다.
유럽이나 미국 같은 경우
1인분의 양이 매우 많아서
아침을 가볍게 먹는 사람이라면
조금 부담스러울 수도 있으니,
사전에 확인하는 게 좋다.

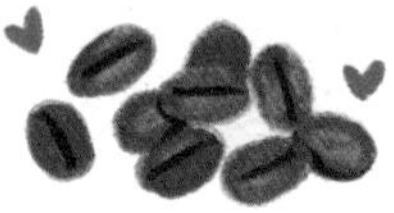

국제학생증

국제학생증이 있어 많은 혜택을 누릴 수 있었다.

교환학생 or 유학 중이라면 학교 학생증이 더 좋지만,
일반 학생이라면 국제학생증을 꼭 만들 것을 추천한다.
국제학생증으로 누릴 수 있는 혜택이 거의 두 배이기 때문!

비행기 타기 전
깔아두면 좋은 어플

트립어드바이저

한국에는 없는 현지 투어를 찾을 수 있다.
다양한 나라의 외국인들과 관광하며 친해질 수 있으며
열정적이고 재밌는 가이드도 많다.

옐프

맛집에 가고 싶을 때 애용한다.
외국인과 현지인 추천이 많은 식당을 찾는 데 유용하다.

구글맵

길치인 나에겐 필수 앱이다.
GPS로 뚜벅이 투어도 가능하고
대중교통 정보도 확인할 수 있다.

우버

택시 앱.
혹시 모를 상황에 대비해 설치 후 카드를
미리 등록해놓으면 급하게 택시를 타야 할 때
편리하게 이용할 수 있다.

3

♪ SWEET HOME CHICAGO

Robert Johnson (1936)

ROBERT
JOHNSON

SWEET HOME CHICAGO

Robert Johnson (1936)

**"Come on, Baby, don't you wanna go?
Back to that same old place,
Sweet home Chicago."**

**"이봐, 돌아가고 싶지 않아?
항상 그대로인 나의 집 시카고로 말이야."**

인종 차별이 지독했던 미국 남부를 탈출하는 이야기가 담긴 구전 노래이다.
작자가 불분명하고, 대중적으로 사랑을 받은 곡이라
수많은 아티스트들의 버전이 있다.
대중음악사의 시작점에 있는 블루스 뮤지션
로버트 존슨(Robert Johnson)의 목소리로 첫 레코드가 남아 있다.

30년대 초, 주크 조인트(Juke Joint)는 미국 남부 지역 흑인들이 모여
음악을 듣거나 춤과 도박을 즐기며 술을 마시는 곳이었다.
로버트 존슨은 그곳에서 연주하던 이름 없는 가수였으나, 어느 날 갑자기 사라졌다.
1년 반이라는 시간이 지난 뒤 다시 모습을 드러낸 그는
이전과는 달리 놀라운 기타 실력을 발휘했다고 한다.

화려하고 눈부신 재능을 미처 뽐낼 새도 없이 이른 나이에 눈을 감은 로버트 존슨.
그의 짧고 굵은 생이 안타까웠기 때문일까, 밤길 어느 교차로에서
악마를 만난 그가 영혼과 음악적 재능을 맞바꿨다는 소문이 돌기도 했다.

27세에 사망해서 남은 음원도 많지 않고 음질도 좋지 않지만
그가 살았던 시대, 미국 목화밭 하층민의 고통스러운 삶을 느낄 수 있다.

음악을 매개로 전하는 정서는 동서고금을 막론하고 동일하다.

+추천곡 : Me and Devil Blues, Cross Road Blues, Ramblin' On My Mind

DAMN I'VE
RIGHT GOT
THE
BLUES

블루스(BLUES)란?

흑인들의 애환이 담긴 블루스는 로큰롤의 초기 형태이다.
기후가 뜨거운 미국의 남쪽 끝에서 유래했으며 뜨거운 햇볕 아래 목화밭에서
노동하며 주고받는 형식의 노동요로 불렸다.
영화 <노예 12년>(12 Years a Slave, 2013)에서도 볼 수 있다.
구전되어 왔기 때문에 원작자가 불분명한 곡이 많고
한 곡에 수많은 버전이 있다.

사랑과 낙담에 대한 한국 트로트 특유 한(恨)의 정서처럼
블루스에도 이와 비슷한 한(恨)의 정서가 흐른다.
물론, 블루스가 간직한 한(恨)은 핍박받은 흑인 노예들의 애환과 고통이다.

대표적으로 1930년대 중반에 활동한 '블루스의 단군 할아버지'
로버트 존슨(Robert Johnson)부터,
가수의 꿈을 키워 미국 미시시피에서 시카고로 올라가
'시카고 블루스' 탄생의 지대한 역할을 한
머디 워터스(Muddy Waters),
또 블루스에 기반을 두고 다양한 장르를 소화한
에릭 클랩튼(Eric Clapton) 등 많은 뮤지션이 있다.

요약하면, 블루스는 20세기 초반에 만들어졌으며
현재 대중음악의 뿌리라고 할 수 있다.

음악의 진정한 역할

역시 크게 듣는
로큰롤이 최고야.

LP 펍에 가면 꼭 블루스 기반의 음악들을 신청하는 나.
한국에서 흔하게 "블루스 한 곡 추실까요?"에서 나오는 어르신들이 추는 블루스 아님!!

술에
취하고
음악에
취한다~

술기운이 오를 때 내가 좋아하는 록 음악을 들으면

Led Zeppelin의
'Since I've Been Loving You'
틀어주세요~!
?
아저씨들이
술 취하면 신청하는
노래인데···

어두침침하고 습한 공연장에서 직접 듣는 것만 같은 기분이 든다.

좋~쥐?
네. 짱이에요.

가사를 완벽하게 다 이해하지 못하거나
흑인들의 애환을 전부 알지는 못하더라도

음악을 통해 감정을 나누고
마음의 연대를 쌓을 수 있다면

그것이 음악의 진정한 역할이 아닐까?

2019년 9월 2일부터 5일간의

음악여행 발자취들

MAP ILLINOIS CHICAGO

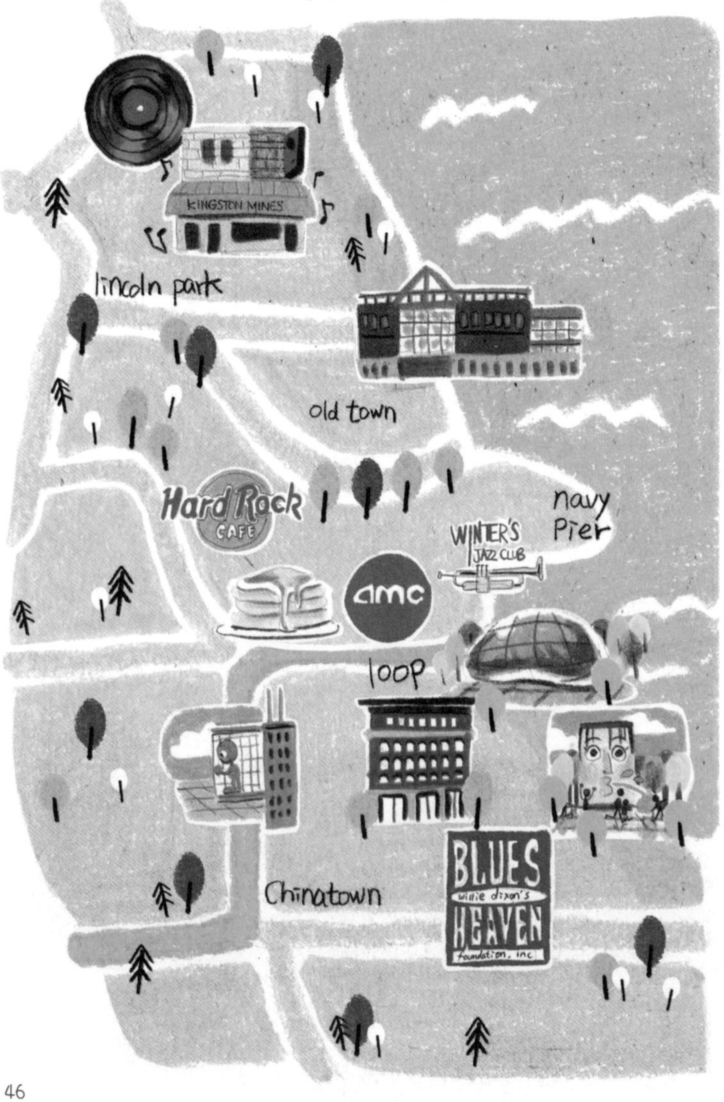

레클리스 레코드 Reckless Records

여행 갈 때마다 그 나라를 대표할 만한 음반을 하나씩 구매하는 편이다.
영화 <사랑도 리콜이 되나요?>(High Fidelity, 2000) 촬영지 근처 레코드 숍인데
참새가 방앗간을 그냥 지나갈 일은 없지!

킹스턴 마인즈 Kingston Mines Blues Club

블루스를 즐기러 왔으니 당연히 블루스 클럽도 가봐야지!
1968년에 지어진 가장 크고 오래된 블루스 펍이다.
365일 두 스테이지에서 각각 다른 밴드가 연주함!! (약간 을지로 느낌)

시카고 역사박물관 Chicago History Museum

그 나라의 역사를 가장 쉽게 배울 수 있는 법, 박물관 가기!
물론 블루스에 대한 전시도 볼 수 있다.

스카이덱 시카고 Skydeck Chicago

412m 높이에 달하는, 미국에서 두 번째로 높은 윌리스 타워 전망대에서 시카고를
한눈에 볼 수 있다! 바닥과 온 사방이 유리인 포토존에서 시카고의 하늘을
날아다니는 것처럼 사진 찍을 수 있다.

하이! 시카고 호스텔 Hi! Chicago Hostel

고민 끝에 정한 호스텔! 시카고 루프 중앙에 있었고 전반적으로 깨끗했다.
스코틀랜드에서 온 두 친구와 함께 방을 썼다. 정말 쾌적!!

밀레니엄 공원 Millennium Park

조각가 아니쉬 카푸어(Anish Kapoor)의 '구름문(Cloud Gate)' 조각상이 있는
밀레니엄 공원! 거대한 은색 콩 앞에서 너도 나도 사진 찍는 모습을 볼 수 있다!

크라운 분수&시카고 미술관 Crown Fountain&The Art institute of Chicago

남녀노소 누구나 나와서 즐기기 좋은 공원! 바로 옆에는 미국의 3대 미술관 중 하나인
시카고 미술관이 있다. 고흐의 '아를의 침실', 쇠라의 '그랑 자드 섬의 일요일 오후' 등의
작품들이 한눈에 보기 쉽게 잘 전시되어 있다!

블루스 헤븐 재단 Blues Heaven Foundation

블루스계의 SM엔터테인먼트와도 같은 체스 레코드에 대한 박물관!
완전 블루스 러버인 가이드는 무한 친절했고 에너지가 장난 아니었다.

4

♪STARMAN

David Bowie (1972)

STARMAN

David Bowie (1972)

"THERE'S A STARMAN WAITING IN THE SKY
HE'D LIKE TO COME AND MEET US
BUT HE THINKS HE'D BLOW OUR MINDS"

"하늘에서 기다리는 스타맨이 있어
와서 우리를 만나고 싶어 하지.
우리의 마음을 날려버릴 생각을 하고 있어"

내가 제일 사랑하는 영국의 뮤지션
데이비드 보위(David Bowie)의 대표곡 중 하나.
20세기에 가장 영향력 있는 가수이며
다양한 페르소나를 선보이며 활동했다.
장르 불문 모든 아티스트에게 영향을 끼쳤다고 해도 과언이 아닐 것이다.

노래에 등장하는 상상의 캐릭터 '스타맨'은
사람들을 만나러 지구에 오고 싶어 하는 외로운 인물로 그려졌다.
보위는 상상 속의 '스타맨'을 통해 인생을 즐기라는 메시지를 전달한다.

나는 이 곡을 나만의 '이륙송'으로 정해 듣곤 한다.
지면을 달리던 비행기가 서서히 하늘 위로 날아오르는 순간에 이 곡을 들으면
마치 내가 데이비드 보위가 말하는 '스타맨'이 된 것 같은 기분이 든다.
"Let all the children boogie"라는 가사처럼
기타 전주만 들어도 아드레날린이 마구 솟는다.

음악은 우리를 흥분하게 하고, 춤추게도 한다.

+추천곡 : Space Oddity, Modern Love, Heroes, Fame

억...

4차 산업혁명을 맞은 21세기에, 왜 아직도 시카고까지 13시간이나 걸릴까?

뽕-
뽀옹-
왁 아저씨...

가뜩이나 비행시간이 길어 힘들었는데,
옆자리 아저씨가 자꾸 방귀를 뀌는 바람에 더 고역이었다. (진심)

그러나 기내식은 무려 쌈밥.
정갈하고 맛있는 밥상에 고단함이 조금이나마 풀리는 기분이었다.

ABCDEFG~
.....

입국 심사 때는 덜덜 떨면서 순서를 기다렸다.
죄지은 것도 없는데 왜 입국 심사 때마다 떨려 죽을 것만 같을까?

NEXT!

'당당하게 답해야지!' 마음을 먹고 갔다.

두근
두근
두근
두근
두근
두근
Hmm…
H…Hi!
두근
두근
두근
콩닥
콩닥
콩닥
콩닥
콩닥
콩닥

WOW
진짜 다른 사람이네?
5년 전 사진 →
대한민국 ROK
……
무슨 여권 위조한 사람처럼 긴장했다.

미국엔 왜 왔어요?
재…재즈랑 블루스에 취하려고요!!

와 혹시 Green Mill 알아요?
중절모 쓴 기타리스트한테 반했었는데!
학생 때 자주 갔었어요.
언제 운영하는지 구글에 검색해볼게요.

내 대답을 들은 직원은 한 재즈 바를 추천해주면서
구글맵으로 위치까지 친절히 알려주었다.

재즈와 블루스의 힘 덕분일까, 나는 무사통과할 수 있었다.

총 총 총 총 총 총 총 총 총

국제선은 시카고 공항의
5터미널에 내려준다.

시카고의 대중교통인 CTA(Chicago Transit Authority)를 타려면
2터미널로 가야 했다.

(ㅋㅋ)

공사 중인 트램 정류장 대신 임시 정류장이 있었는데,
비닐로 만든 탓에 무슨 피난처 같았다.

교통카드는 이렇게 생긴 기계에서 구매했다.

카드값 $5 + 원하는 일수
보증금 $5는 돌려받을 수 있으나
나는 가져왔다.

Regular Fare(일반 요금)는 한 번 타는 종이 티켓!
일반 요금 티켓은 환승이 불가능해서
원하는 기간을 정해서 탈 수 있는 Ventra(벤트라) 교통카드를 구매했다.

지하철은 우리나라와 달리 다음 칸으로 이동할 수 없게 되어 있는 데다

밖이 뚫려 있어서 '위험하니 나가지 마시오'라고 쓰여 있었다.
그럼에도 불구하고 밖에 나가서 컵밥을 먹는 사람이 있었다.

This is America….

2019년 9월 1일 시카고 버스

시카고 대중교통은 모두

빨간색, 파란색, 흰색 조합으로 되어 있다.

알록달록!

구글맵에
출발지랑 도착지를
검색하면 쉽게 알려줌!

직각 사각의 도시 시카고

여기 버스 또 있다!

바람의 도시라는
별명답게
바람이 숭숭

크고 깔끔했던 호스텔은 비수기라 그런지 사람이 없었다.

와우

잘 자!
안녕! 내일 보자.
엘리베이터 잡아주다가 만난 다샤. 미국에는 단기 아르바이트를 하기 위해 왔다고.

앞집 504호에 머무는 '다샤'라는 러시아 친구와 내일 맥주 마시기로 했다.

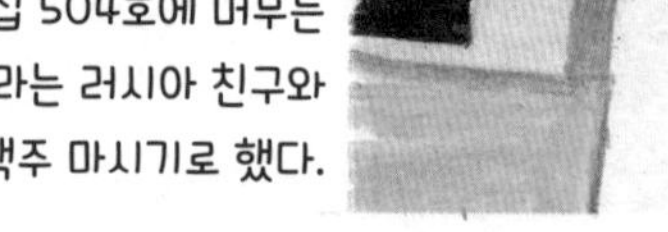
크―……zz
하도 피곤해서 시차 따위 없음.

배고플 새도 없이 잠자리에 들었다.

발바닥으로 리듬 타면서 쿨하게 노래 부르고 간 아저씨.

이때
미국 야구 시즌이어서
야구 이야기만 나옴…

700 S Wabash Ave, Chicago, IL 60605, United States

Buddy Guy's Legends.

다음 날인 9월 2일이
노동절(휴일)인 걸 깜빡했다가
문 닫은 가게 앞에서 내 그림 들고
사진만 찍다 돌아왔다.
이튿날 다시 방문했다. ㅠㅠ

공연할 때는 동영상 촬영 금지!

둘째 날은 뚜벅이의 날이었다.

시카고는 루프(Loop)라고 해서 시내 구역이 있는데
여기는 치안이 좋아서 걸어 다니기 참 좋았다.

첫 투어 날이니 시카고 전경을 보고 시작하자! 싶은 마음에
남산 타워 같은 전망대, 스카이덱 시카고(Skydeck Chicago)에 갔다.

와우!

오픈이 9시라서 10시경에 갔는데 웬걸 사람이 엄청 많았다.

뭐해?
빨리 줄 서지
않고.

월요일 아침부터 왜 이렇게 사람이 많나 싶었는데
공휴일인 미국 노동절이라서였다. 웨이팅만 90분 ㅠ_ㅠ

Fast Pass도 있었지만
궁핍한 나는 General Pass로
$25 주고 입장했다.

긴 대기시간을 버티고 드디어 입장.
높은 빌딩 숲이 내 발밑 아래 펼쳐져 있었다.

나의 90분과 $25가 아깝지 않을 정도로 눈부신 광경이었다.
벽과 바닥이 투명한 곳에서 사진 찍는 것이 포인트!

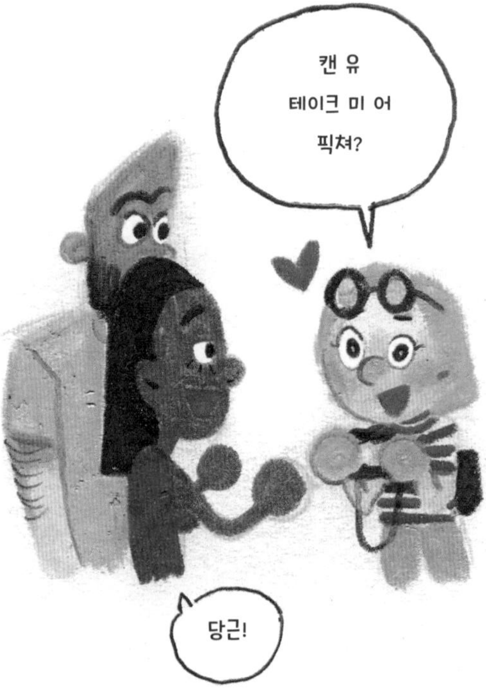
캔 유
테이크 미 어
픽쳐?
당근!

이날도 “사진 찍어 주세요” 열심히 외쳤다.

I'm gonna take my horse
to the OLD TOWN ROAD

당시 빌보드 차트 1위였던
Lil Nas X의 Old Town Road가
흘렀다.

111 S Michigan Ave, Chicago, IL 60603, United States

2019년 9월 시카고 미술관 앞에서

완전 신기!!

아니쉬 카푸어(Anish Kapoor)의 구름문이다!

111 S Michigan Ave, Chicago, IL 60603, United States

구름문 앞에서

201 E Randolph St, Chicago, IL 60601, United States

크라운 분수 앞에서

물에 흠뻑 젖은 아이들이
신나게 뛰어놀았다.
아무런 걱정 없이 저렇게
뛰어놀았던 적이 언제였더라?

5

♪ ENGLISHMAN IN NEW YORK

Sting (1987)

ENGLISHMAN IN NEW YORK

Sting (1987)

"BE YOURSELF, NO MATTER WHAT THEY SAY
I'M AN ALIEN, I'M A LEGAL ALIEN
I'M AN ENGLISHMAN IN NEW YORK"

"누가 뭐라 하든 너 자신이 되길.
나는 이방인이야, 당당한 이방인.
뉴욕에 온 영국인이지."

스팅(Sting)은 영국의 음악가이자 싱어송라이터이다.
뉴웨이브 록밴드 더 폴리스(The Police)의 리드 싱어이자 베이시스트였던 그는
80년대 후반까지 밴드 활동을 하다 솔로로 전향했다.
영화 <레옹>(Leon, 1994)의 사운드트랙인
'Shape of My Heart'로 한국에서 유명하다.

영국인인 스팅이 느낀 감정이 실린 노래인 줄 알았는데,
영국의 작가이자 동성애의 아이콘인
쿠엔틴 크리스프(Quentin Crisp)에 대한 이야기라고 한다.
타국에서 여행하는 동안 나를 이방인으로 대하던 사람들 때문에 힘들기도 했지만,
그로 인한 부정적인 감정에서 해방시켜준 사람들도 분명 있었다.

사람으로 얻은 상처를 다시 사람으로 치유하는 것.
스팅의 노래를 듣는 동안 이방인으로서 내가 겪었던
차별과 상처를 위로받는 기분이 들었다.
이처럼 노래가 주는 위로는 항상 힘이 있다.

+추천곡 : Every Breath You Take, Heavy Cloud No Rain, Fields of Gold

셋째 날엔 이번 여행의 목표 중 하나였던
체스 레코드(Chess Records)이자
블루스 헤븐 재단(Blues Heaven Foundation)에 다녀왔다.

시간 계산 잘못하고 한 시간 일찍 갔다가
맞은편 스타벅스에서 오픈할 때까지 기다렸다.

CHESS
RECORDS LLC

블루스 헤븐 재단은
체스 레코드의 심장이었던 윌리 딕슨(Willie Dixon)의
아내가 설립한 블루스 박물관으로,
$15를 기부금으로 내면 입장이 가능하다.

기이잇
문이 오래돼서 잘 안 열림
H···Hi!
오~ 안녕하세요!

재즈와 블루스를 더 즐기기 위해 한국에서 왔다고 하니까…

어디서 왔어요?
덜컹!
덜컹!
암 프롬 코리아!

소울(Soul)과 서울(Seoul)!
서로 연관이 많지요~
덕후력 100% 가이드 아저씨
신나면 방방 뛰는 편
맞아용
덜컹덜컹

가이드는 블루스가 정말 좋아서

영국 맨체스터에서 시카고로 넘어와 지내고 있다고 했다.

★ 참고로, 영국 맨체스터는 밴드 오아시스(Oasis)의 고향이다.

곧이어 스페인 부부가 들어왔는데

와··· 문이 참
뻑뻑하네요.
안녕하세요~

두 사람도 나처럼 뻑뻑한 문을 잘 열지 못해 낑낑거렸다.
가이드는 조금 불편하긴 하지만, 역사를 함께한 문이라
새로 바꿀 계획은 없다고 했다.

스페인 부부는 나처럼 음악을 테마로
미국을 여행 중이라고 했다.

아저씨는 완전 로큰롤 덕후인 반면에
아주머니는 블루스에 대해 잘 모르는 눈치였다.

아주머니께 “영화 <캐딜락 레코드>(Cadillac Records, 2008) 추천해요. 이 영화에 오늘 가이드가 말한 내용이 다 들어가 있거든요.”라고 말씀드리니

.....
.....
.....

남편이 여행 가기 전에 보라고 해서
이미 봤다고 하셨다.

여보, 이것 봐! 초기 Bo Diddley의 기타야!
! ㅋ ㅋ
응 그랴~

아저씨가 좋아서 어쩔 줄 몰라 하면
아주머니는 그냥 “응~그려~” 하는 식이었다. ㅋㅋ

계단이 가파르니
조심해서 올라와요.

체스 레코드의 설립 역사를 듣고 스튜디오로 넘어갔다.

리허설실
커다란 녹음실

방은 리허설실과 커다란 녹음실 총 두 개였다.

녹음실은 리허설실에 비해 엄청나게 컸다.

마치 교회 돔처럼 생긴 천장은 소리가 잘 울리도록 만들어졌다고 한다.

베이스 소리나 블루스의 울부짖는 목소리에 적합한 구조였다.

GO GO! GO Johnny GO!

리버브 잔뜩 들어간 녹음실에서
체스 레코드 히트곡 메들리를 듣는데

Johnny B-

나중에 나만의 공간이 넓어지면
음악 감상실을 죽이게 만들겠다는 꿈이 더욱더 커졌다.

부부는 엘비스 프레슬리의 본가가 있는
멤피스(Memphis)를 지나
뉴올리언스에 간다고 했다.
곧 태풍이 오니 조심하라고
행운을 빌어주셨다.

2120 S Michigan Ave, Chicago, IL 60616, United States

체스 레코드 앞에서

앞에 정원도 있었다.

기부금으로 운영되는데 지금은 코로나바이러스 때문에 많이 힘들다고 한다.

재방문할 그날까지 잘 버텨주기를…

체스 레코드 관광을 끝내고
미국 가수 브루스 스프링스틴(Bruce Springsteen)의
실화를 바탕으로 한 음악 영화인 <Blinded by the Light>(2019)을 보러 갔다.

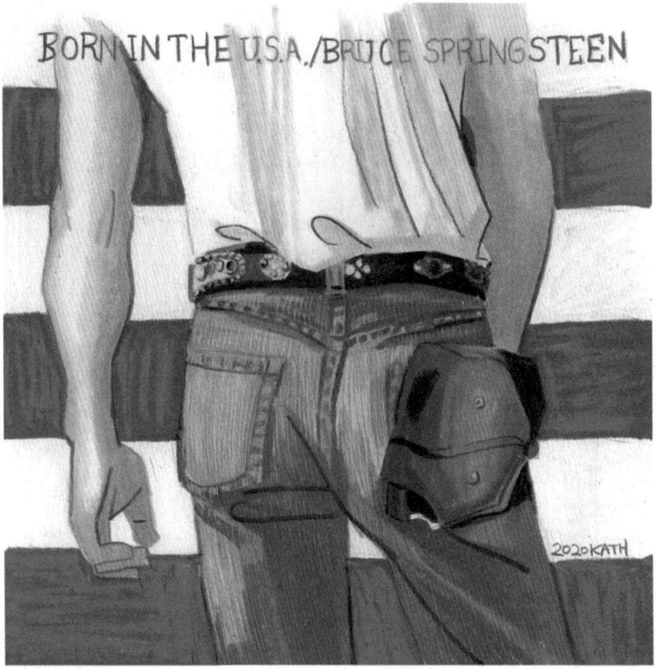

아메리칸 드림을 노래했던
미국 노동자들의 보스, 브루스 스프링스틴을 다룬 영화가
한국에 개봉하지 않을 것 같아서였다.

정신없던 영국 마거릿 대처 정권 시절
파키스탄 소년이 차별을 극복하며 꿈을 이뤄나가는 성장 이야기다.

WE GOTTA GET OUT

꽉 찬 사운드와 함께 음악을 듣기에는 좋았으나
전형적인 스토리 라인들로 채워져 있었다.

오히려 엘튼 존(Elton John) 이야기를 다룬
<로켓맨>(Rocketman, 2019)이 개인적으로 더 나았다.

BABY! We Are Born to Run!
영화관엔 나를 제외하곤 할아버지 두 명밖에 없었다.
뭐여 시방~
오잉!

밤에 혼자 다니는 걸 무서워하는 나.

짠~!
은근 겁 많음

이번 여행 목표 중 하나가 음악 펍 다니기였는데,
보통 밤에 문 여는 펍의 특성상 숙소에서 멀면 가기가 살짝 망설여졌다.

영화를 보고 저녁을 먹기 전

한국 사람 같은데?

잠깐 체력을 보충하러 호스텔에 갔는데
새로 들어온 한국 여성분이 있었다.

짜잔!

같이 저녁을 먹자고 청하자 흔쾌히 받아주셨다.

지나 씨는 미국 여행 중
유일하게 대화를 나눈 한국 분이었다.

안녕하세요!
지나 씨
취준생

뉴욕에 친구가 살아서
내일 이동해요.

나이도 비슷했고
나처럼 혼자 오셨다.

지나 씨와 함께 햄버거와 감자튀김을 먹었는데,
가격도 비싸지 않고 맛있었다. 칵테일까지 냠냠!

HOUSE
BLUES

2120 S Michigan Ave, Chicago, IL 60616, United States

하우스 오브 블루스 시카고

완전 물 만난 물고기!
음악과 함께
저녁을 즐기는 사람들이
가득했다.

〈블루스 브라더스〉(The Blues Brothers, 1980) 형제와 함께

아~ 배부르다!

밥을 먹고 버스 타러 가는 길,
야경을 구경하기로 했다.

야경 진짜
멋있다!
예쁘게
찍어주세요~

야경 속에서
예쁜 사진을 많이 건졌다.

Dearborn Street Bridge에서. 데이비드 보위 일러스트 책도 샀다 ㅋㅋ

시카고 극장도 구경했다.
조명들이 반짝반짝
참 예뻤다.

이날은 영화 <원스>(Once, 2007)의 주인공
글렌 한자드(Glen Hansard)의 잼 공연이 있었다.

버스 정류장에서 버스를 기다리는데
블루스 연주자 머디 워터스(Muddy Waters)가 나를 반겼다.

오늘도 음악과 함께 하루를 마무리했다.

이튿날은 영화 <사랑도 리콜이 되나요?>(High Fidelity, 2000)에서
존 쿠삭(John Cusack)이 일하는 바이닐 숍에 갔는데

그 장소가 아니었다!! (대반전)

RECKLESS
RECORDS

존 쿠삭이 일하던 바이닐 숍은
촬영 세트장으로 만든 가상의 공간이었고,
현재는 자전거 가게가 위치하고 있었다.

하는 수없이 그 근처에 있던
레코드 숍에 방문했다.

계산이요!
삑
삑
삑

밴드 롤링 스톤즈(The Rolling Stones)의 멤버들이
컴필레이션한 앨범 <Confessin' the Blues>(2019)를 하나 사려는데

하하….
죄송합니다….

인터넷이 셧다운 되는 바람에
카드를 사용하려면
한 시간 반을 기다려야 한다는 것이다!!

그래서 그냥 현금 주고 나왔다….
얼마 없는 내 현금 ㅠㅠ

레코드를 사고 커트 코베인과 찰칵

929 W Belmont Ave, Chicago, IL 60657, US

레클리스 레코드 간판

디깅하던 할아버지. 뭐 건지셨어요?

앨범 커버는 밴드 롤링 스톤즈 멤버 로니 우드(Ronnie Wood)가 그렸다.

수익금 전체는
어제 다녀갔던
블루스 헤븐 재단으로
기부된다고 한다.

3일권 교통 패스를 끊고 무적이 된 나는 이곳저곳 알차게 구경 다녔다.

지하철, 버스 다 이용할 수 있어
정말 정말 편했다!

버스를 타고 시카고 역사박물관에 갔다.
아기자기하게 잘 꾸며진 외관과 내부가 기억에 남는다.

이곳에서 시카고 이름의 기원을 알게 되었다.
'시카고'란 네이티브 아메리칸 언어로,

'냄새나는 양파'라는 뜻이라고 한다.
조금 웃겼다… 냄새나는 양파 도시라니….

저녁에는 시카고에서 가장 오래된 블루스 펍인
킹스턴 마인즈(Kingston Mines)에 가기로 마음먹었다.

원래부터 가고 싶었지만, 저녁 7시 반이라는 늦은 시간에 여는 데다
또 너무 멀어서 계속 망설이고 있었다.

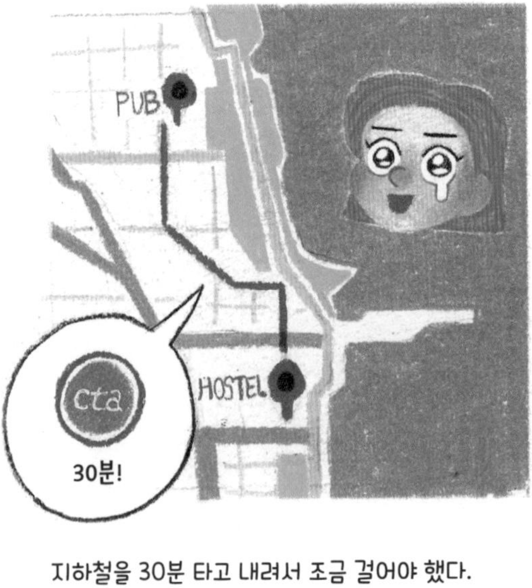

지하철을 30분 타고 내려서 조금 걸어야 했다.

시카고는 치안이 좋은 편에 속하지만 긴장 빡! 하고 갔다.

펍 앞에는 가드가 지키고 있었고 입장료 $12를 내야 했다.

STUDENT ID
←까치발
학생증을 보여주면 무료입니다.

스테이지는 총 두 군데였고 매시간 배턴 터치하면서 공연했다.

어제 갔던 하우스 오브 더 블루스가 강남 같은 분위기였다면

여기는 을지로처럼 구수한 느낌…?

공연 도중 어르신 부부가 갑자기 일어나셔서

내 시야를 가리는가 싶더니

엄청난 텐션으로 춤을 추셨다.

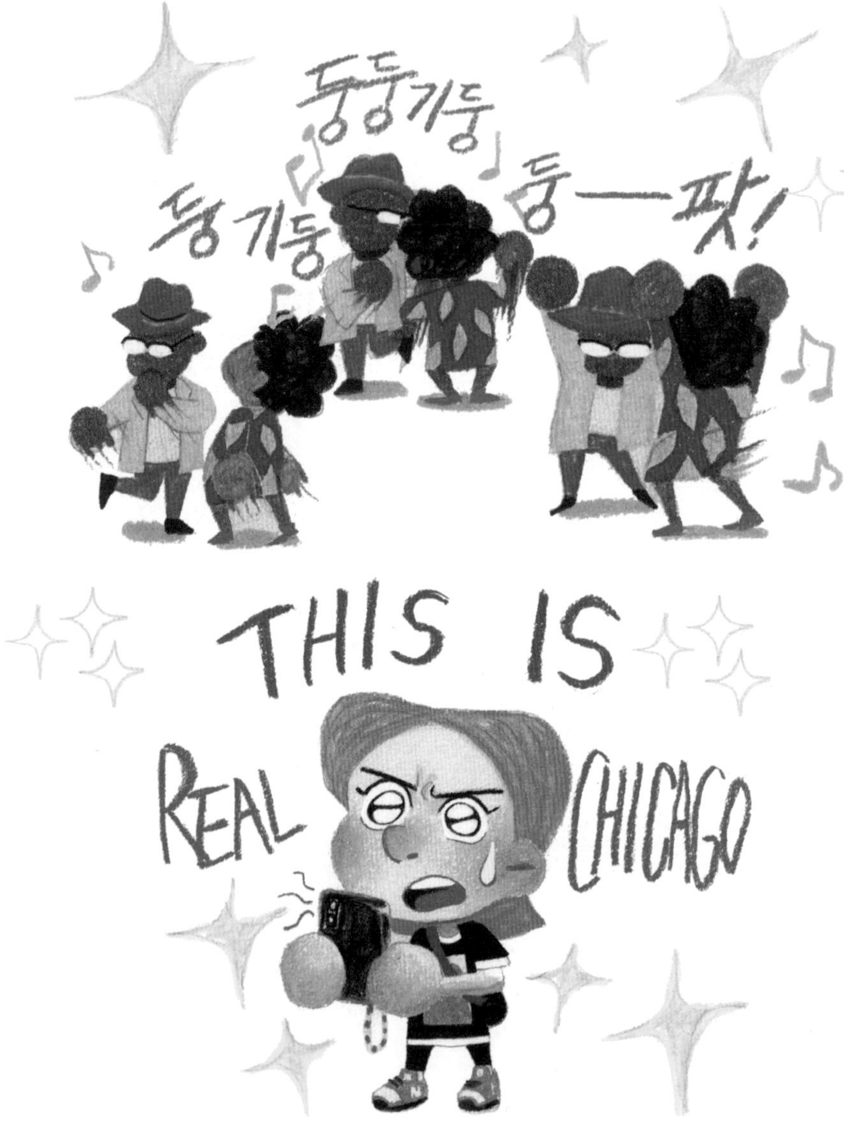
둥둥기둥
둥기둥
둥—팟!
THIS IS
REAL
CHICAGO

…찐 블루스를 경험했다.

2548 N Halsted St, Chicago, IL 60614, United States

킹스턴 마인즈 앞

21세기판 주크 조인트 느낌?

실은 나도 춤추고 싶었어

오픈 시간 좀 지나니 사람이 많아졌다.

예~

여행은 즐거웠지만 긴장의 연속이기도 했다.

휘이익~
(휘파람 소리)
홱!

혼자 하는 여행은 자유롭다는 장점이 있지만,
반대로 언제 어디서 위험이 닥쳐도 혼자서 해결해야 한다는
걱정과 불안감도 있었다.

나는 누가 봐도 관광객인 동양인 여성이었고

무시가 답이야.
캣콜링
니하오

치안이 좋지 않은 곳은 항상 해가 떠 있을 때만 다녔다.

하지만 어쩌겠는가? 나를 지킬 수 있는 사람은 오직 나뿐이었다.

배터리가 없네
20%

그 사실을 실감한 것은, 시카고와 뉴올리언스 여행을 마치고 한국행 비행기를 타기 위해 환승을 기다리던 공항에서였다.

앗 찾았다!
우다다다
충전할 수 있는 바

휴대폰을 충전할 수 있는 자리를 발견하고 앉으려는 순간

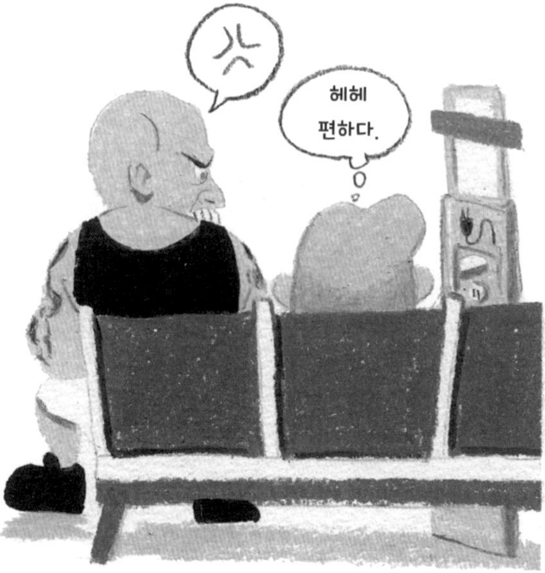
헤헤
편하다.

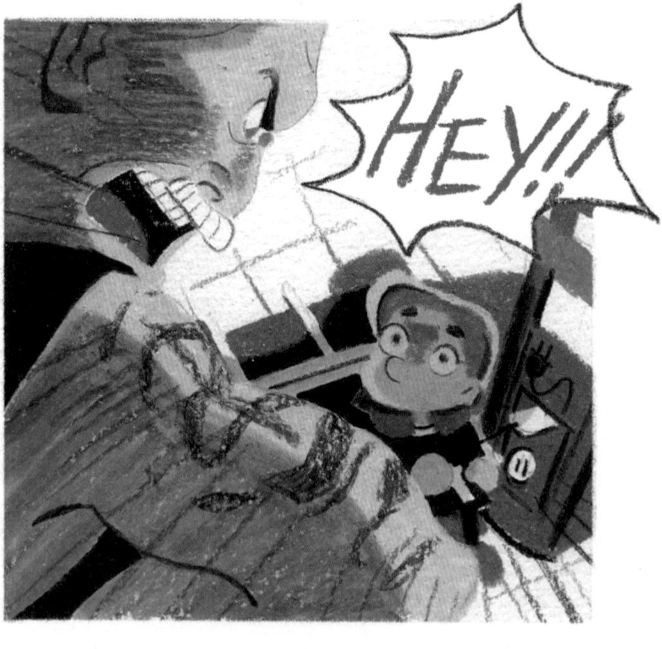
HEY!!

내 옆에 앉은 백인 남자가 크게 소리쳤다.

왜 여기 앉는 거야!
휴대폰 충전하려고요.
그 와중에 또박또박 대답

그는 "내 알 바 아니야!"라며 얼굴이 벌게질 때까지 소리쳤고,
위압적인 덩치와 공격적인 태도에 자리를 이동할 수밖에 없었다.

당장 저리 가!!

그 자리에 있던 사람들 모두 나를 외면했다.

바로 친구에게 전화를 걸어 분노를 공유했지만
억울한 마음은 쉽게 가라앉지 않았다.

* 심한 욕 *
* 심한 욕 *

여행을 하면서 못된 사람들보다 친절한 사람들을 훨씬 많이 만났다.
그럼에도 불구하고 차별적이고 혐오적인 시선을 가진 사람들은
어디에나 존재했다.

전화를 끊고 난 후에 마음을 진정시켰다.
나쁜 기억은 늘 좋은 기억보다 힘이 세지만,
이때만큼은 좋은 기억에게 힘을 실어주기 위해 노력했다.

새똥 맞아라.

내게 친절했던 사람들에 대한 기억으로
이 일을 머릿속에서 지워버리고 싶었다.

우리 모두 외국인에게 친절을 베풉시다….

이런 철조물들이 많았다.
마지막날 크루즈 건물 투어
Navy Pier에서 출발!

내일은 뉴올리언스에 가는 날.

6

♪ DO YOU KNOW WHAT IT MEANS TO MISS NEW ORLEANS

Billie Holiday (1947)

DO YOU KNOW WHAT IT MEANS TO MISS NEW ORLEANS

Billie Holiday(1947)

"Do you know what it means
To miss New Orleans
When that's where you left your heart."

뉴올리언스를 그리워한다는 게 무슨 뜻인지 아시나요?
당신의 마음을 두고 온 곳 말이에요.

'레이디 데이(Lady Day)'라는 별명을 가진 빌리 홀리데이는
가장 영향력 있는 재즈 뮤지션 중 하나이다.
그는 마약 중독으로 세상을 뜨기 전까지
슬프고 처절한 목소리로 흑인들의 아픔을 노래했다.

'Do You Know What It Means to Miss New Orleans?'는 1947년
루이 암스트롱과 빌리 홀리데이가 주연한 영화
<New Orleans>에서 처음 등장했다.

재즈 음악이 탄생한 장소인 뉴올리언스를 노래하는 이 곡은
가슴 아픈 재난 중 하나인 허리케인 카트리나 이후
추모 및 기금 모음 행사를 하며
뉴올리언스를 다시 기억하자는 의미의 노래로 쓰이기도 했다.

소중한 공간과 사람, 감정을 잊지 않도록 돕는 음악의 힘을 실감할 때마다
음악을 더 사랑하게 된다.

+추천곡 : Strange Fruit, Don't Explain, Solitude, Summertime

재즈(JAZZ)란?

현재는 차분히 앉아서 듣는 음악이 되었지만 처음에 재즈는 춤곡이었다.
재즈의 기원을 찾아보면, 19세기 말 20세기 초 뉴올리언스에서 생겼으며
블루스와 래그타임을 뿌리로 둔 음악 장르이다.
1917년에 처음 재즈가 녹음되고 매우 빠르게 전파되었다.

1920년 미국 흑인들과 백인 유럽 음악의 사이에서 팝 음악처럼 나온 음악이다.
미시시피강을 끼고 있는 뉴올리언스는 이미 1803년부터
오페라와 발레, 군악대 등으로 재즈 발달의 핵심 장소가 되었다.
아프리칸, 프랑스인, 이탈리안, 원주민 등 남쪽보다 인종이 훨씬 다양했고,
미국 흑인들의 전통 음악이 래그타임, 행진곡, 블루스 등
타 장르와 섞이면서 재즈가 탄생했다.

루이 암스트롱(Louis Armstrong), 듀크 엘링턴(Duke Ellington),
찰리 파커(Charlie Parker), 마일즈 데이비스(Miles Davis) 등
멋진 음악가들에 의해 진화하기 시작했고,
이후에 전통 재즈, 스윙, 비밥, 쿨 재즈 등 많은 장르의 재즈가 생겨났다.

오늘날 다양한 재즈 뮤지션과 페스티벌 등이 생기면서
"미국의 클래식 장르" 중 하나가 되었다.

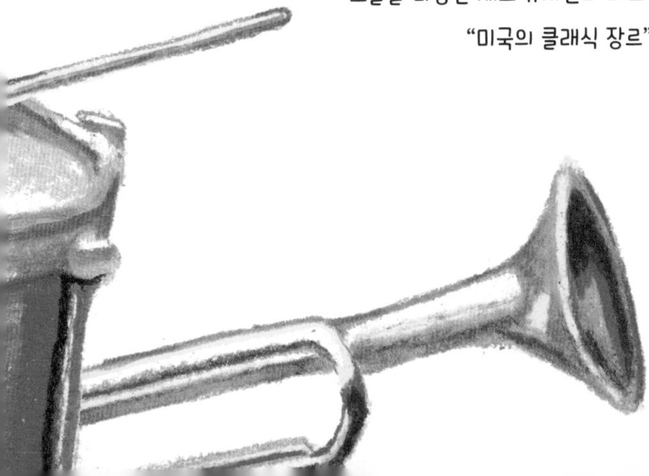

나에게 재즈는 아직 어렵다.

뭔가 옷차림을 고상하게 입고 스테이크를 썰며 들어야 할 것 같은 느낌이다.

웨이라~
마일즈 데이비스의
50년대 활동곡 틀어주세요.
이상한 아가씨로군

하지만! 재즈의 근원지 뉴올리언스에서 탄생한 재즈 음악들은

나를 들썩들썩하게 했다.

슬픈 역사와 이야기를 화려하고 리드미컬한 멜로디로 승화시킨 재즈는
듣는 이의 마음을 울리는 매력이 있다.

앞으로도 소중한 사람들과 마음을 나누는 자리마다
항상 재즈와 함께하고 싶다.

"재즈는 우리 삶의 먼지를 털어버리죠"라는
아트 블레이키(Art Blakey)의 말처럼,
오늘 하루 좋은 재즈곡으로 나를 다독여보는 건 어떨까?

2019년 9월 7일부터 5일간의
음악여행 발자취들

MAP
NEW ORLEANS LOUISIANA

IHSP 프렌치 쿼터 하우스 IHSP French Quarter House
루이 암스트롱 공원 바로 앞에 있는 주황색 호스텔.
치안이 좋은 프렌치 쿼터 내에 걸쳐져 있어서 조용하고, 10분만 걸어 나가면
힙한 버번 스트리트(Bourbon Street)가 나온다!

파벨라 시크 Favela Chic
뉴올리언스가 고향인 투어 가이드가 데려다준 적극 추천 재즈 바.
맛있는 칵테일과 멕시코 음식과 함께 재즈 라이브 연주를 즐길 수 있다.

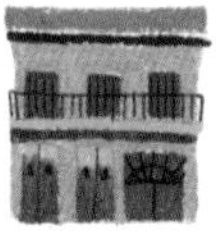

프리저베이션 홀 Preservation Hall
촬영이 안 되고 나무 건물에 에어컨도 없는 낡은 건물이지만, 전 세계 수많은 사람들이 재즈를 듣기 위해 모이는 곳. 타임머신을 탄 듯 과거로 돌아가 황홀한 연주를 듣는 기분을 느낄 수 있다. 휴대폰은 잠시 끄고 눈과 귀에 담으러 가보자!

뉴올리언스 재즈 박물관 New Orleans Jazz Museum
재즈 탄생의 모든 것을 볼 수 있는 박물관! 유명 뮤지션들이 연주한 악기들은 물론이고 역사를 담은 그림과 사진들이 잘 전시되어 있다.

프렌치 마켓 French Market
뉴올리언스의 광장시장, 프렌치 마켓!
중고 음반과 예쁜 그림, 공예품 등 기념품으로 살 만한 재밌는 물건들을 많이 판다.

카페 듀 몽드 Café Du Monde
슈가파우더가 구름처럼 올라간 도넛인 베이네를 먹을 수 있는 곳.
디저트를 좋아하는 당신, 지도에 꼭 표시하라.
베이네와 따뜻한 커피 한 모금이 만나면 그야말로 천국!

애크미 오이스터 하우스 Acme Oyster House
다양한 해산물과 케이준, 크레올 음식을 파는 식당.
구글 맵 리뷰가 장난이 아니다! 뉴올리언스만의 굴 요리가 먹고 싶다면 추천!

7

♪ MARDI GRAS IN NEW ORLEANS

Professor Longhair (1959)

MARDI GRAS IN NEW ORLEANS

Professor Longhair (1959)

"If you go to New Orleans
You ought to go see the Mardi Gras
When you see the Mardi Gras
Somebody'll tell you what's Carnival for."

뉴올리언스에 가게 된다면
마디 그라 축제를 꼭 가보세요.
마디 그라 축제에 가면
무엇을 위한 축제인지 누군가 말해줄 거예요.

1940년 말부터 리듬 앤드 블루스(rhythm and blues)
피아니스트로 활동했던 프로페서 롱헤어는
1970년대 뉴올리언스 음악 부흥기를 대표한다.

레코드 숍에서 청소부를 하던 그는 온갖 잡역을 병행하며
긴 무명의 시간을 보냈지만,
뉴올리언스 재즈&헤리티지 페스티벌 공동 창업자의 도움으로 무대에 오른 후
재조명을 받으며 로큰롤의 바흐(Bach of Rock and Roll)라는
찬사를 받게 되었다.

사순절에 들어가기 전, 사육제 축제인 마디 그라(Mardi Gras)를
노래하는 이 곡은 퍼레이드에 꼭 등장하는 음악이 되었다.

현재 미국 남부, 특히 뉴올리언스에서 세계 최대의 LGBTQ 축제 때마다
롱헤어의 음악이 울려 퍼진다.

시간이 흘러도 변하지 않는 음악의 가치와 의미를 본받고 싶다.

+추천곡 : Tipitina, Bald Head, Baby Let Me Hold Your Hand

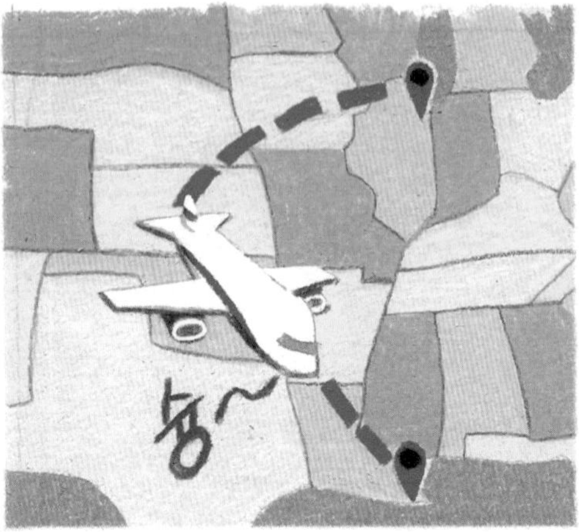
슝~

오늘은 뉴올리언스로 이동하는 날!

잘 가유잉~!
Take Care!
SCOTLAND

잠깐 방을 같이 썼던 스코틀랜드 친구들과 작별 인사를 나눈 뒤 공항으로 갔다.

UNITED 항공이 악명 높아서 조금 긴장했는데

호잇!
뿡~
UNITED

저가항공 치고 제때 출발해 제때 도착했다. 휴~

창가 쪽에 앉아서 화장실을 좀 참았지만…

으…
조금만 참자.
ABCD
EFG!
모닝 커피의 여파

공항 이름은 재즈 트럼페터이자 가수인
'루이 암스트롱(Louis Armstrong)'의 이름을 딴

루이 암스트롱 국제공항!

시카고는 20도를 밑돌아서 외투 없이는 조금 쌀쌀했는데

확실히 북부 쪽은 덥디덥다.

더워 힝 ㅠ

한국처럼 습한 데다가 35도 이상이다.

aim
Ground Trans.
Taxi
여긴 어디
나는 누구?

공항에 내려서 버스를 타고 이동해야 했는데
Transportation 쪽으로 가도 대중교통을 찾을 수가 없었다.

숨이 턱턱 막혀서 버스 찾기를 포기하고 눈앞에 보이는 공항 셔틀을 이용했다.

아이고~ 땀나.
진작에 이거 탈걸~!
HOTEL SHUTTLE
HOTEL SHUTTLE
빨랑 타~

$25면 뉴올리언스 프렌치쿼터 내에 있는 호텔을 싹 돌아 내려준다.

내가 머문 곳은 루이 암스트롱 공원 바로 앞에 있는 IHSP 프렌치쿼터 하우스!

아기자기 귀여운 외관과 저렴한 가격,
또 치안이 안전한 프렌치쿼터 내에 있어서 선택했다.

끼-익…

문을 열고 들어가니 멋진 헤어스타일과 타투를 한 니콜 씨가 맞이해줬다.

안녕하세요!
예약하셨어요?
YES!

뉴올리언스 지도를 보여주며 관광 명소도 친절히 알려주었다.

올드타운인 프렌치쿼터(French Quarter)는
미국 뉴올리언스에서 가장 유명하고 오래된 도시이다.

미시시피강을 따라서 있으며 18세기에 프랑스인들에 의해 생긴 거리인데,
스페인의 지배를 받았던 곳이기도 해서 프랑스+스페인+미국 짬뽕 느낌이다.

블루스 뮤지션 B.B. King이 만든 식당에서
같이 영어 회화를 공부했던 친구가 추천해준 잠발라야를 주문해 먹었다.

뉴올리언스는 식민지 지배의 유럽인과
그렇지 않은 사람 사이에서 태어난 이들을 뜻하는
크레올(creole) 음식과 문화가 유명하다.

크레올 요리

잠발라야 역시 크레올 요리. 밥이랑 토마토소스, 해산물, 치킨 등을 볶은 밥이다.
이게 리소토 같으면서도 JMT다. 뉴올리언스 김볶 스타일이다.

밥이 너무 그리웠어 흑흑…

한참 맛있게 먹고 있는데, 서빙해주던 깜찍 요염한 웨이터가

어! 손님!
그 신발

제가 좋아하는 모델이에요 홍홍
아 이 신발이요?

내 운동화를 보더니 자기가 좋아하는 모델이라고 했다.

으이구 기지배

그래서 “나 이거 여기 오기 전에 엄마한테 몰래 가져온 거야” 하니까
서로 빵 터졌다.

ㅋㅋ
ㅋ
ㅋㅋ
ㅋ
ㅋ
ㅋ
ㅋ

고작 신발 하나로 처음 만난 사람과 웃고 떠들 수 있다는 사실이
신기하고 또 즐거웠다.

뉴올리언스는 2015년부터 동성 결혼이 합법화된 지역이다.

그래서 이곳저곳에서 무지개 깃발을 볼 수 있고

성소수자들에게 친화적인 가게가 많다.

프랑스의 마레지구가 생각났다.
이런저런 분위기로 굉장히 친근하게 느껴지는 뉴올리언스인데

L'amour Court les Rues!

저녁에는 치안이 좋지 않다는 말에 해지기 전 호스텔로 돌아갔다.

대신 내일 뉴올리언스 재즈 맥주 투어를 예약했으니
밤은 내일 즐기려고 한다!

8

♪ WHEN THE SAINTS GO MARCHING IN

Louis Armstrong (1938)

WHEN THE SAINTS GO MARCHING IN

Louis Armstrong (1938)

"OH, WHEN THE SAINTS GO MARCHING IN
OH LORD I WANT TO BE IN THAT NUMBER
WHEN THE SAINTS GO MARCHING IN."

성자들이 행진할 때.
주여, 저도 그들과 함께 가고 싶습니다.
성자들이 행진할 때.

루이 암스트롱은 미국의 트럼펫 연주자이자 가수이다.
큰 입을 뜻하는 새치모(Satchmo)라는 별명을 가졌고
재즈의 아이콘이자 미국 문화를 상징하는 인물이다.

이 노래는 원곡자가 불분명한데,
1900년 초에 구전되던 흑인들의 민요 중 하나일 것으로 추측하는 의견이 있다.
찬송가로 만들어졌지만 재즈밴드에서 주로 연주되고 있다.

'Saints'는 여기서 '성자'라는 뜻보단 천국에 갈 수 있는 사람을 뜻한다고 한다.
그래서 가사 속 'Number(무리)에 속하고 싶다'라는 뜻은
천국으로 향하는 망자들 사이에 함께 있고 싶다는 뜻이라고.
흑인 노예들의 영혼을 달래기 위해 장례식에서 부르던 노래였다.

이 노래는 미식축구팀(New Orleans Saints)이 이름을 따왔을 정도로
많은 사랑을 받았으며 뉴올리언스를 대표하는 노래가 되었다.

+추천곡 : Cheek to Cheek (ft. Ella Fitzgerald), Mack the Knife

뉴올리언스의 두 번째 아침이 밝았다.
이날은 호스텔에서 걸어서 10분 거리에 있는 재즈 박물관에 갔다.

헉헉
더위에 땀을 뻘뻘 흘리며 걷는데
어디선가 음악소리가 들려왔다.
와우!
때마침 무료 공연 중이던
재즈 박물관에서 나는 소리였다.

긴 머리를 휘날리며 기타를 치는 여성분과
살찌고 키가 줄어든 폴 매카트니 같은 분이
더위가 물러갈 정도로 시원한 로큰롤을 연주 중이었다.

이렇듯 뉴올리언스의 거리를 걷다 보면
자유롭게 공연 중인 음악가들과
그 음악을 즐기는 사람들을 흔히 만날 수 있다.

다만 호스텔 직원 니콜 씨의 말에 따르면,
거리에서 음악을 크게 트는 구역은 따로 정해져 있다고 한다.

재즈 박물관에서는 재즈의 기원부터 현재까지의 재즈를 담은
뉴올리언스를 볼 수 있고

프로페서 롱헤어(Professor Longhair)와
루이 프리마(Louis Prima)같이
뉴올리언스에 뿌리를 둔 아티스트들의 구역도 따로 전시되어 있었다.

오늘은
공짜!
오 ㅋ
핵이득!

성인은 $15, 학생증 제시하면 $6이었는데
내가 들른 날은 이벤트 날이라서 무료라고 했다.

포토존도 예쁘게 꾸며져 있으니 꼭 방문을 추천한다!

뉴올리언스 재즈에 대해 많이 알 수 있었다.

다시 한번 자료의 보존과 아카이빙의 중요성을 깨달았다.

학생들을 위한
체험 및 수업도 잘 되어 있고,
관광객들이 즐길 수 있는
축제도 잘 조성되어 있다.

400 Esplanade Avenue, New Orleans, Louisiana 70116, US

셀카 존도 참 잘되어 있어!

Craig 'Sparky' Klein shows his support (and the resilience needed) for his Katrina-devastated home town during the New Orleans Nightcrawlers' set in the Jazz Tent
Scott Saltzman, 2006
Loaned by Scott Saltzman

박물관 곳곳
허리케인 카트리나를
기억하며 자선 공연했던
사진들과 흔적들이
많아서 좋았다.

태풍 카트리나를 잊지 않으려는 사람들

LED-ZEPPELIN

롱헤어 선생님과 로버트 플랜트

박물관 구경을 마치고 나오는데,
옆에 프렌치 마켓이 있어서
잠시 들렀다.

식민지가 되기 이전부터 미국 원주민들과의 무역 거래소로 쓰이던 곳이었다.
미국에 있는 시장 중 가장 오래된 곳이다.

부두(Voodoo)교로
유명한
뉴올리언스

약간 재래시장 느낌? 이것저것 다 판다.
심지어 사용 설명서와 함께 저주 인형도 팔고 있었다.

기념품 사기 딱 좋은 곳! 사람들이 굉장히 많았다.

거리 음식도 팔고, 루이지아나만의 분위기가 짙은 장소였다.

Du Monde
배순탁 작가님이
엄청나게 추천해주신
그곳…

천국의 맛이라는 베이네(Beignet)를 먹으러 갔다.
흰 설탕 파우더를 뿌린 프랑스식 도넛이다.

사람이 항상 많아서 웨이팅이라고 했는데
나는 혼자 와서 그런가 바로 입장했다. 와우!

적당히 달고 바삭한
네모난 도넛인데…
커피랑 먹으니
금상첨화.
단 음식을
좋아하는 나에겐
최고의 크레올
음식이었다….
Café Du Mon
출국 전에
또 먹어야지
계속 다짐했다.

감동에 젖어
베이네를 먹고 있는데
거리에서 연주하는
소리가 들려왔다.

거리 곳곳에서 재밌는 재즈 연주가 울려 퍼지는 뉴올리언스가
더욱 매력적으로 느껴졌다.

일정을 마치고 호스텔로 돌아가자,
여기저기 잔뜩 붙은 경고문들이 보였다.

hand soap
for your paw
DISH SOAP
SCRUBBA DUBBA MO
PLEASE
DON'T THROW
YOUR CIGARETT
THE COCKROACHES
ARE GETTING CAN

컵을 훔쳐 가는 사람들이나 담배꽁초를 아무 데나 버리는 사람들을 향한
호스텔 직원의 분노가 유머러스하게 적혀 있었다.

조용하고 이상한데 웃긴 호스텔이라고 생각했다.

누가 호스텔 컵을
훔쳐 갔나 보다.
컵 필요하면
안내데스크에 문의하라고
쓰여 있다.

마당에 담배꽁초를 버리면
바퀴벌레가 먹고
암에 걸리니
재떨이에 버리라는
유머의 안내판 ㅋㅋ

DON'T DO IT
PLEASE DON'T DO IT
Please DO NOT take cups
from the house.
If you need a To Go cup just ask the
front desk.

호스텔 컵 좀 훔치지 마!

914 N Rampart St, New Orleans, LA 70116, US

PLEASE
DON'T THROW YOUR
CIGARETTE BUTTS ON
THE GROUND. THE
COCKROACHES ARE
GETTING CANCER.

담배꽁초는 재떨이에

땀을 식히고 다시 밖에 나가기 전 찰칵!

앞 마당의 도마뱀 친구

저녁 재즈 투어를 위한 모임 장소는
호스텔에서 걸어서 1분 거리에 있는 루이 암스트롱 공원이었다.

찌는 듯한 더위에 체력이 바닥난 나는
호스텔에서 좀 쉬다가 투어하러 나갔다.

루이 암스트롱 공원은
2005년 카트리나 태풍 이후 재정비된 곳이다.

공원으로 재정비되기 이전에는 범죄 집합 장소였다고…

재건 후에 안전하고 깨끗해진 공원의 모습을 보고 있으려니,
이곳에서 범죄가 일어났었다는 사실이 믿기지 않았다.

시간 맞춰 나가니 가이드 아저씨께서 반겨주셨다.

!
여기 맥주 투어 맞나요?

투어 멤버는 단체로 관광 온 듯한 스페인 아주머니 무리와
인도인 커플 한 쌍, 그리고 중국인 한 분이었다.

이거 저녁 '재즈' 투어예요
아차차~
맥주 마실 생각에 그만~

재즈 레전드
버디 볼든 (Buddy Bolden) 조각상.
다중 인격으로 힘들었던 그의
여러 자아들이 표현되어 있었다.

버디 볼든

701 N Rampart St, New Orleans, LA 70116, US

루이 암스트롱 공원 입구

후기에는 여전히
지저분하다는 평이 많았는데,
개인적으로는 깔끔하고
산책하기 좋았다!

OPEN

SAINTS

안녕하세요!
안녕하세요!

투어는 만족스러웠다. 특히 가이드 아저씨가 정말 스윗했고
자신이 나고 자란 뉴올리언스를 사랑하는 마음이 느껴졌다.

나는 투어에 참가한 '징징'이라는 중국 여성분과 주로 대화를 나누었다.

징징 씨

징징 씨는 샌프란시스코에서 직장을 다니고 있었는데,
콘퍼런스 때문에 이곳 뉴올리언스에 방문했다고 말했다.

프렌치쿼터 내에서는 버번 스트리트가 흥한다면
프렌치쿼터 밖에는 프렌치맨 스트리트가 있었다.

여기가 찐 뉴올리언스! 같은 느낌이었다.

버번 스트리트는
밤에 열리는 클럽 위주라면

프렌치맨 스트리트에는 리얼 재즈, 블루스, 로큰롤 바가 많았다.

그냥 들어가서 음악만 즐기고 나와도 되고,
공연이 끝날 때까지 술을 먹거나 사람들과 대화를 나누어도 좋다.

모든 가게들이 다 다른 음악을 연주하는 거리.
음악으로 가득 찬 그곳은 내게 황홀 그 자체였다.

모든 가게가 공연 중이던 매력적인 거리!

프렌치맨 스트리트 중간중간 재밌는 마켓도 많았다.

기억에 남는 펍은 Vaso LLC라는 곳인데

와 연주 잘하네

예수처럼 머리를 기른 기타리스트 옆에
아일랜드 가수 호지어(Hozier)를 닮은 남자가 베이스를 치고
잭 블랙(Jack Black)을 닮은 사람이 리드기타 보컬이었다.

JOHN FRUCIANTE
HOZIER
TAME IMPALA
찰랑~ 찰랑~

기타를 잘치는 뮤지션들은 왠지 모두 머리카락이 긴 것 같다.

MY TO

er Ma
tes

버번 스트리트도
가볼래요?
와 좋아요!

프렌치맨 스트리트에서 걸어서 5분 거리에 버번 스트리트가 있었다.
저녁에 가보고 싶었기에 징징 씨와 같이 갔다.

Yo!
아가씨들!
놀토를
즐겨요!
둠칫
360도를
회전하며
춤추는 DJ
둠칫

저녁의 버번 스트리트는 홍대 클럽 거리 느낌이어서 나랑은 좀 안 맞았다. ㅠ

집 갈래요?
택시 태워줄게요.
피곤하면
다크서클
심해지는 편
와
정말요?

징징 씨도 거리의 시끄러움에 지쳤는지
"택시 타고 집에 갈래?" 하고 물어보셨다.

토요일 10시인데
벌써 집에 가요?

징징 씨 덕에 호스텔에 무사히 도착할 수 있었다.
감사합니다, 징징!

♪ 유쾌한 사람들과 즐거운 밤

피곤해~

호스텔 앞에 도착했을 땐 누우면
바로 잠들 수 있을 정도로 피곤했다.

호스텔 로비에 들어서자 니콜 씨가 한 남자와 같이 맥주를 마시고 있었다.
내게도 맥주를 권하길래, "나 이미 마시고 왔구 지금 넘 피곤해~" 했는데

오, 민지 씨!
같이 마셔요.
헉
내 이름을
기억하네
예스?
안녕하세요

손이 저절로 움직여 맥주 한 캔을 까고 있었다.

남자의 이름은 '조'였고,
게 잡는(crabbing) 어부였다.

뉴올리언스에는 게를 유통하러 왔다고 했다.
회사에서 호텔비를 지원하지만

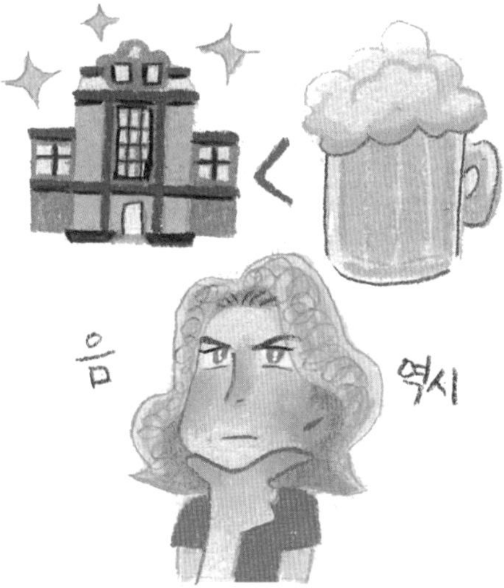
음
역시

좋은 호텔에 돈을 쓰면 술을 많이 못마셔서
매년 이 호스텔에서 묵는다고 했다.

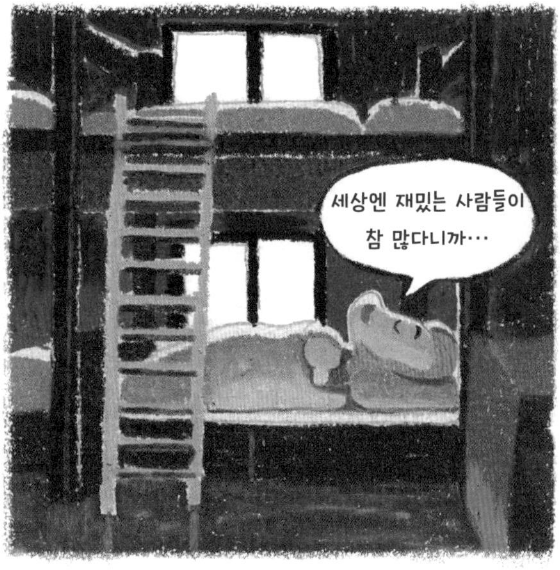
세상엔 재밌는 사람들이
참 많다니까…

9

♪ PRESERVATION HALL

프리저베이션 홀 입장을 기다릴 때였다.
드래그 화장을 하신 분이 다가오더니 뉴올리언스는 처음이냐고 물었다.

굴 맛집 알려줄까요?
네

그리곤 나와 내 뒤에 서 있던
스페인 아저씨에게
굴 요리 맛집을 알려주었다.

그렇지 않아도 뉴올리언스는 굴이 유명해서 꼭 먹고 갈 다짐을 하고 있었다.

OYSTER

원래 내가 알아봤던 가게는 내셔널 지오그래픽 잡지에 나온 곳이었는데,
추천을 받은 뒤 현지인이 알려준 곳으로 갔다.

여기 진짜 맛있어요.
로컬 추천! 믿고 가봐요~
후기가 5,000개?!
!
Acme Oyster House
지금은 8,000개(!)

가게 이름은 Acme Oyster House!
굴과 루이지아나 스타일의 해산물, 크레올 음식을 파는 곳이었다.

생굴이랑 구운 굴 중에 고민하다가
옆에 앉은 아저씨가 구운 굴을 먹는 게 맛나 보여서
같은 메뉴를 주문해서 먹었다.

빵에 소스 찍어서
굴을 올려 같이 먹는다.

표면엔 윤기가 자르르 흐르는 데다 비린내도 전혀 나지 않았다.
초고추장에 생굴 찍어 먹던 맛과는 완전 다른 맛!!

맥주가 술술 들어가네!

굴이 원래 이렇게 맛있었나?

식사를 마치고 길을 걷는데 어디선가 쫀득쫀득 맛있는 블루스 소리가 들려왔다.

가게 밖에서 구경하다가
결국 들어가 맥주를 시켰다.

운 좋게도 생맥주 1+1 행사 중이었어서
대낮부터 생맥 두 잔 드링킹!

이번 여행은 운이 가득한 것 같다. 헤헤

한창 야구 시즌이어서 모든 가게마다 경기 방송을 틀어놨다.

블루스 참
쫀득하게 연주하셨던 아저씨.
술 안 사 먹고
옆에 앉아서 그냥
구경해도 된다. ㅋㅋ

724 Iberville St, New Orleans, LA 70130, US

옆에 앉아 있던
아저씨 손님이
회전목마 콘셉트의 맛집을
알려주셨지만,
스케줄이 짧아 못 갔다. ㅠㅠ

옆자리 아저씨가 추천한 또 다른 맛집

과거를 간직한 프리저베이션 홀

내가 뉴올리언스에 온 커다란 이유, 프리저베이션 홀!

PRESERVATION
HALL

1960년대에 시작해서 옛 뉴올리언스의 전통 재즈를 이어온 작은 재즈 연주 홀이다.

끝이
어디야?!

내가 여행을 다녀왔던 2019년에는 예약 없이 줄 서는 대로 입장이 가능했지만,

코로나 이후로 규정이 바뀌어서 미리 공식 사이트에서 예약 후 신분증과 백신 인증서를 제시해야만 입장이 가능하다고 한다.

★ 코로나 때문에 15개월 동안 공연을 못 하다가 최근에서야 재개했다고….

연주가 시작되면 휴대폰 및 카메라 촬영 절대 금지라서
다 같이 음악에만 집중한다.

간신히
앉았다!

작은 건물이라 자리가 많지는 않았지만,
옛날 모습을 그대로 보존하고 있어서 타임머신을 타고 온 줄 알았다.

어디서 왔어요?
한국이요!
그럼 삼성
갤럭시 써요?
?????

Oh,
when the Saints
when the Saints
go marching in
go marching in
자리가 없어
바닥에 앉음

나이가 지긋한 가수 한 분이 편하게 내뱉듯 노래를 부르는 게 너무너무 좋았다.
공연 도중, 관객의 호응을 유도하면서 음악을 잠깐 멈춘 순간이 있었다.

I WANNA BE
FOR THAT NUMBER

작은 공간에 사람들의 목소리가 꽉 차는 걸 듣고 있자니
눈물이 날 것만 같았다.

이튿날 다시 찾은 프리저베이션 홀에서는 다른 세션이 연주하고 있었다.

월요일이라 그런지 사람도 없어서 앞에서 볼 수 있었다.
개인적으로는 어제 봤던 무대가 더 좋았다.

한참 연주를 보고 있는데
갑자기 내 앞에 앉은 한 백인 아주머니가 큰 소리로 웃음을 터뜨렸다.
뭐지? 싶어서 무대를 자세히 바라봤다.

모든 연주자들의 시선이 향한 곳이 있었으니,

꺄아아아악!!!
이 집
음악 쥑이네!

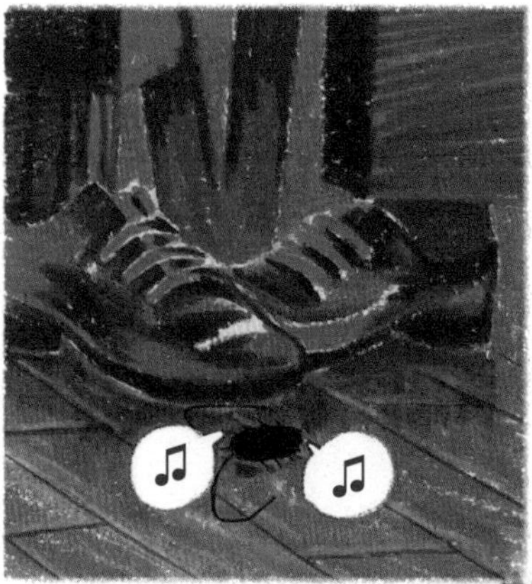

엄지손가락만 한 바퀴벌레가…
공연을 보고 있었다….

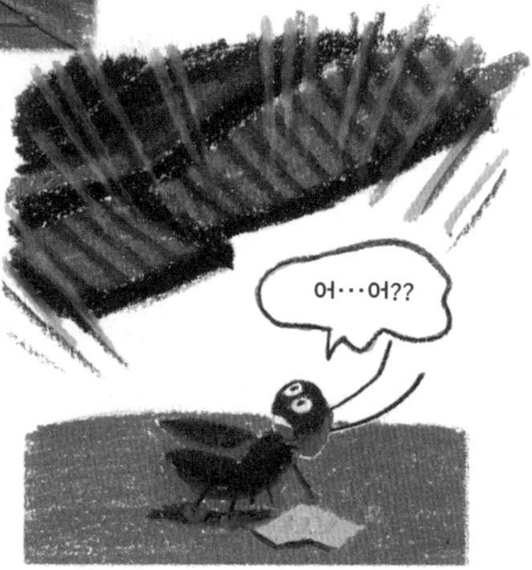
어…어??

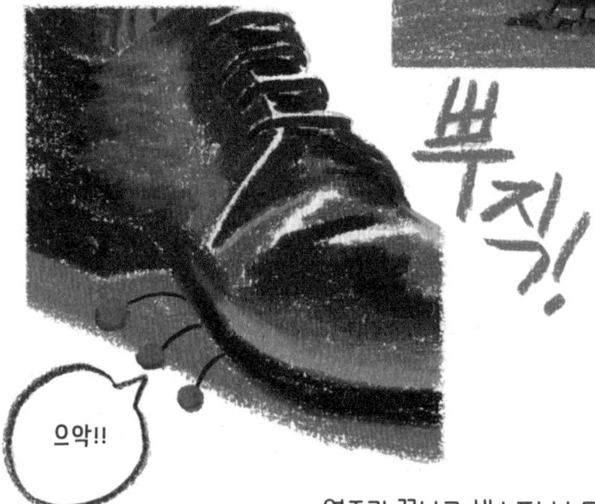
뿌직!
으악!!

연주가 끝나고 색소포니스트가 발로 밟아버렸다.

트럼페터가 “날아다니지 않은 게 어디예요~”라고 하더니
루이 암스트롱의 ‘What a Wonderful World’를 연주하겠다고 했다.
노래 제목처럼, 이 바퀴벌레도 좋은 삶을 살았길 바란다면서. ㅋㅋ

부드러운 연주 덕분에 바퀴벌레의 존재는 금세 잊혔다.
'정말 멋진 세상'이라는 노랫말처럼,
진지한 얼굴의 연주자들과 행복한 표정으로 음악을 감상하는 사람들이 있어
내 세상은 조금 더 멋지고 행복해졌다.
아름다운 음악과 멋진 연주자들, 음악을 사랑하는 사람들이 있는 세상에서
오래도록 음악을 즐기며 살고 싶다.

POSES
闪光灯或电子闪光灯：
B.B. KING!
Kodak
식당도, 거리도 연주가 끊이지 않아
한복 입은 사람들이 옆에서 결혼식 했다.

음악을 사랑한다면

반드시 가보자 NOLA!

ERVATIO
ALL
STAR
NEW

ORLEANS
Traditional
— Other
The Saints
THAT'S IT

10

♪ I BELIEVE IN MUSIC

Donny Hathaway (1971)

I BELIEVE IN MUSIC

Donny Hathaway (1971)

"I COULD JUST SIT AROUND MAKING MUSIC ALL DAY LONG
AS LONG AS I'M MAKING MY MUSIC
AIN'T GONNA DO NOBODY NO HARM
AND WHO KNOWS MAYBE I'LL COME UP WITH A SONG
TO MAKE PEOPLE WANT TO STOP
ALL THIS FUSSING AND FIGHTING
LONG ENOUGH TO SING ALONG"

"하루 종일 앉아서 음악을 만들 수 있어요.
그 누구에게도 해를 끼치지 않을 만한 음악이라면요.
그리고 누가 알겠어요? 폭력을 멈출 노래가 떠오를지.
함께 부를 노래로 충분할지."

시카고에서 태어난 도니 해서웨이(Donny Hathaway)는
미국의 음악 잡지 롤링 스톤에서 '소울 레전드'라고 불릴 만큼
유명한 미국의 싱어송라이터이자 키보디스트다.

원래 원곡은 맥 데이비스(Mac Davis)의 팝 성향이 강한 곡이었는데,
소울 분위기를 듬뿍 담은 해서웨이 버전을 추천하고 싶다.
'음악을 믿는다'는 제목과 함께 가스펠 느낌의 버전이 더 와닿았달까?

밴드 유투(U2)의 보노(Bono)가 한 말이 있다.
'음악은 사람을 변화시키므로 세상도 바꿀 수 있다.'
(Music can change the world because it can change people.)

이것이 내가 음악을 믿는 이유 중 하나다.

+추천곡 : The Guetto, The Closer I Get to You (ft. Roberta Flack)

어쩌면 시카고와 뉴올리언스에서 경험했던 멋진 시간이

I'll Be there
With a love that will
Shelter you~

*Reach Out (I'll Be There) - Four Tops (1966)

내가 음악과 관련한 그림을 더 그리고 싶게 만든 계기가 된 것 같다.

아이구 잘그리네~
날 닮았군

어렸을 때부터 내겐 일상이었던 그림에

이번 그림은 좀 괜찮은데?

음악이 접목되자 새로운 창작 영역으로 확대되었다.

보상으로 엘비스
프레슬리를 틀어볼까?

지금처럼 음악과 관련된 그림을 그리며 즐겁게 일하게 될 줄 몰랐다.

Derek and the Dominos
asis

남들이 보기엔 대책 없이 무턱대고 떠난 여행처럼 느껴질 수도 있다.

하지만 나는 나에게 주어진 시간을
최선을 다해 즐겁게 보낸 것뿐이다.

음악을 창작하는 사람은 아니지만
내가 아직 듣지 못한, 경험하지 못한 음악을 듣고
이를 통해 사람들과 교감하며
앞으로도 나만의 그림을 계속 그려나가고 싶다.

Fantastic
M u s i c
V o y a g e

I KNOW THERE'LL BE
NO MORE
TEARS IN HEAVEN.

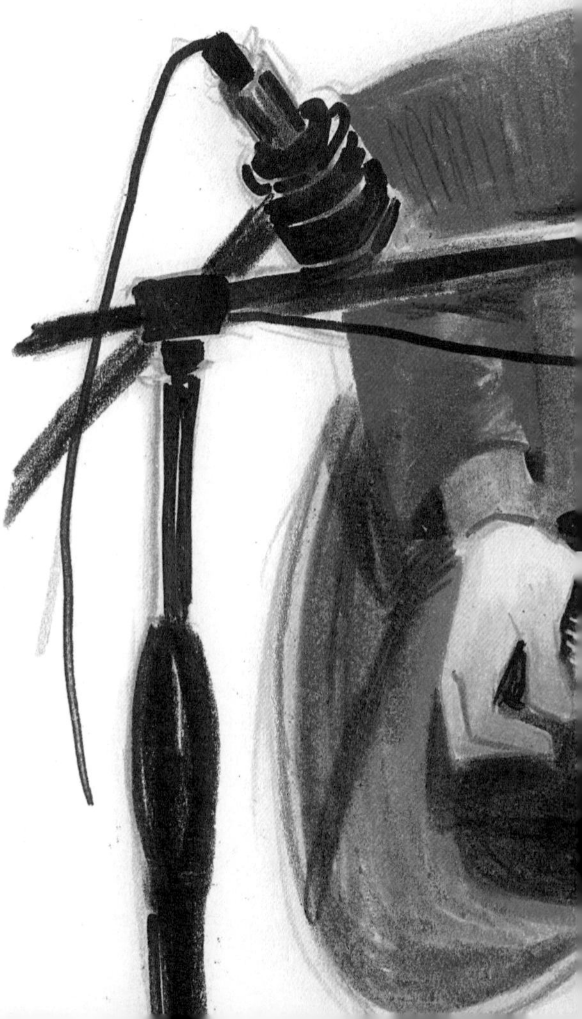

AC/DC

The Beach Boys Pet Sounds

다시 집으로

이 책은 음악을 향한 애정을 바탕으로 떠난
시카고와 뉴올리언스 여행 이야기를 다루고 있습니다.

여행을 마치고 일상으로 돌아온 이후 행복했던 그날의 기억을 잊고 있었는데,
책을 쓰면서 행복했던 그날의 기억을 되짚어볼 수 있어 기뻤습니다.

음악과 여행, 그림 모두 제가 좋아하는 것들이라 그런지
집필하는 내내 행복했습니다.

멋진 추천사를 적어주신, 존경하는 임진모 선생님
코로나 직전 배낭여행을 떠날 용기를 심어주신 배순탁 작가님께
감사 인사 올립니다.

항상 응원해주는 현태 오빠,
나의 가족들,
출판 기회를 주신 마인드빌딩 출판사분들

그리고
이 책을 발견해준 여러분께 감사드립니다.

2021년 12월
아직 듣고 싶은 음악이 산더미인
KATH

시카고
illy
ESSO
DARK ROAST

판타스틱 뮤직 보야지

초판 1쇄 발행 2021년 12월 25일

지은이 KATH (권민지)
펴낸이 서재필
책임편집 양수빈
책임마케터 박소민
펴낸곳 마인드빌딩
출판등록 2018년 1월 11일 제 395-2019-000009호
전화 02)3153-1330
이메일 mindbuilding@naver.com

ISBN 979-11-90015-70-7 (03810)